劉福春・李怡 主編

民國文學珍稀文獻集成

第二輯

新詩舊集影印叢編　第81冊

【李金髮卷】

為幸福而歌（下）

上海：商務印書館 1926 年 11 月初版

李金髮　著

花木蘭文化事業有限公司

國家圖書館出版品預行編目資料

為幸福而歌（下）／李金髮　著 — 初版 — 新北市：花木蘭文化事業
有限公司，2017〔民 106〕
156 面；19 ×26 公分
（民國文學珍稀文獻集成・第二輯・新詩舊集影印叢編　第 81 冊）
ISBN 978-986-485-151-5（套書精裝）
831.8　　　　　　　　　　　　　　　　　　106013764

ISBN-978-986-485-151-5

9 789864 851515

民國文學珍稀文獻集成・第二輯・新詩舊集影印叢編（51-85 冊）
第 81 冊

為幸福而歌（下）

著　　者　李金髮
主　　編　劉福春、李怡
企　　劃　首都師範大學中國詩歌研究中心
　　　　　北京師範大學民國歷史文化與文學研究中心
　　　　　（臺灣）政治大學民國歷史文化與文學研究中心
總 編 輯　杜潔祥
副總編輯　楊嘉樂
編　　輯　許郁翎、王筑　美術編輯　陳逸婷
出　　版　花木蘭文化事業有限公司
社　　長　高小娟
聯絡地址　235 新北市中和區中安街七二號十三樓
　　　　　電話：02-2923-1455 ／傳眞：02-2923-1452
網　　址　http://www.huamulan.tw 信箱 hml 810518@gmail.com
印　　刷　普羅文化出版廣告事業
初　　版　2017 年 9 月
定　　價　第二輯 51-85 冊（精裝）新台幣 88,000 元

為幸福而歌（下）

李金髮 著

死

死

我明白了死，
因我看見過人尸
他們在東京水裏浮腫着，
點綴宇宙的
一角了．

死!如同晴春般美麗，
季候之來般忠實，
若你設法逃脫．
呵,無須恐怖痛哭，
他終久溫愛我們．

"任他們去

為幸福而歌

　　　　找尋所親密的，

　　　　最後一次失望，

　　　　——抑生計的問題——

　　　　呵母親！

　　　　全辜負了，

　　　　我明白了死

　　　　因我看見過人尸".

148

即去年在日耳曼尼

即去年在日耳曼尼

呵厄運與不幸之過去,

你復遺送雪花與明月前來,

我曾見他們幾百次,

每次仰頭與歎,

——即去年在日耳曼尼,——

似欲表白生命之神祕,

和不馴之眼淚.

孩童時之痛哭,

尚可拭之以孅小之手,

成人之淚,

殆如海的波濤了.

我是誰?

149

爲幸福而歌

紅頰的人，

爲永遠之糾纏裹着足，

我總結我所有，

四肢張皇了，

我何以疑惑！

髮在深夜變色麼。

如遠海的狂風，

能以時間之鐵索，

鎖住我的幽怨，

說:不任他們死去，

那孤冷的中天，

將成我的安慰。

雖然,此等空泛的印象，

拖帶着一線微光，

150

即去年在日耳曼尼

厄運與不幸之過去的呼聲,

在蒼古的甬道裏回響.

我該屈膝了,

如聞天之高處之神的樂.

我心靈如此積雪之笨重,

壓着多慣飄蕩的死葉,

使不得揮霍地遨遊.

我心不再唱失望之歌,

他們旣在每個黎明裏降服了.

我心如停流之溪澗,

有鈎攔之敗葉堵着,

遠地的羊羣歸來時,

(呵遠地的羊羣,)

更無吸飲之地.

他懷抱有海的幽怨,

151

爲幸福而歌

舟子臨礁的狂呼.

muses 的哀病！

但終於何等美麗:

崎嶇之岩鑿站着,

倦遊之鳥築細草之窠,

狂風夜來

扒枝兒成韻,

吁,竟培養我的隱愛.

且咬這麵包,

對天光坐下,

聽星斗的運行,——

他們爲世界的時鐘,——

你外衣將反照

脣兒帶點紫黛,

此時有何物感到:

152

即去年在日耳曼尼

明日是聖誕，
人仍是祈禱而悲戚著。

大地深睡著，
我看見他的輪廓，
聽他的鼾睡，
任他休憩麼？
就在這黑夜裏，
我將沿河徐步，
找那一座明麗之鄉
安置我多骨之軀壳，
——豈不是榮幸，——
保全一臂之所有
更何他求，
況她所唱的民歌裏，
有野人的海名。

153

為幸福而歌

呵你是祕魯的美人

"Si douc ques un animal
Si petit fait tant de mal"

Ronsard.

你低唱裏

有斷續的句:

呵你是祕魯的美人,

生長在 Titiyamtata am Titikakasee……

那邊一大樹,

樹上一蘋菓,

我非常願意要…………

我們一齊去罷

那面牛乳與茶是美味,

擁被同睡在指環裏…………

154

呵你是祕密的美人

他們訓練了幾十年，

鎗礮還比糧食多，

如今一個不留存了…………

不肯的媛媛兒闔眼睡罷，

我既長大了你何以年輕，

媽媽將留心你的飢渴…………

屋外的水池裏，

鰥魚尾巴搖空，

誰曉得他要怎樣…………

犬兒在月下吠了

呵倦怠的遊行者，

何不於日落之前趕到我家裏………

155

為幸福而歌

初夜

沈靜包圍着房屋

微風在瓦面嘶着,

沒有再好的談笑

去拘留此一刻,

我們的命運變遷了,

寺鐘敲時

——吁上帝的語言——

冥想遠遠的鄉土,

微細的期望

多麼 identiques 多麼 proches.

人的命運變遷了,

往昔我若何孤冷,

156

勸　　慰

今也,押微扒的心.

呵,遠地情愛之公主,

前來觀察我們之 Exil

我摺疊你在懷裏,

臂兒在勝利者頸上摸索,

情愛豈不是生活中僅有之 oasis,

微笑為棕櫚之蔭的清新.

天空的星光,

反照着一切人間之有生命的,

呵,他笑我們微細與 fugitifs;

所有熱淚與血心終永流着,

誰明白生活的原理?

情愛豈不是僅有之 oasis,

微笑為棕櫚之蔭的清新,

157

歌而禍幸驚

　　沈靜包圍着房屋，

　　微風在瓦面嘶着。

158

胡　為　乎……

少年詩人說：

quelle douleur en moi！

呵，你的怯懦，呻吟，

且看新清的港灣裏，

日光在浪頭跳躍，

白鷗隨飛帆招展，

黎明預備晨妝，

參與此一日與世界之盛會；

鷄羣隨風高唱，

豈有傷感之思；

更有短樹綠叢裏，

鷦鷯正鋪張新窠，

斑鳩將在高枝呼喚，

159

為幸福而歌

送人一點春思，

鋤你的園地，

縱不收成

亦得墳藏的樣子。

160

上 帝——肉 體

上帝——肉體

有強硬之心的大神，

其管束我的年少，

瞻望我的煩悶恐怖與傷情，

我欲勝利，

但每舉步為仇讐左右着；

你知道我收束若干戰爭，

逃避了昏睡之眼的婦人，

建立孤獨的偉大，

如今"肉體"陰謀着.

多麼 palpable, inevitable！

將如海的蒸氣般銷散，

生命于他

似乎絲毫不值了！

161

寫罪惡日記

他據我的王座，

時遠時近，

心頭微想便有不可信的狂跳；

他欲如天星之光，

照耀一切無限，

至少管領生活的擔心與創造；

他如探海燈的一瞥，

欲於黑暗裏有所明察，

高瞻遠矚，

尋罪惡之贓物，

爲永久之嫉妒，

但終於無益。

他在我靈魂裏

留下一傷寒使我興感；

如一日之哀傷，一夜之情愛，

他於是在那裏睡了，——

162

上　帝——肉　體

有微星嬉笑的天空，

輕衣之女的低唱.

失望的少婦，

望着海濤痛哭——

如同自己的故鄉。

他明欲有所佔據，

但終於無益.

168

歐而福華為

風

欲霏高處倚危欄

閑看垂楊風褭老

沈尹默

"Les vagues bleues d' Uelin roulent

dans la mière; les vertes collines

sont convertes de jour; les arbres

secouent leurs têtes poussiéreuses

dans la brise,"

W. Wordsworth

儘在橡枝上嘶着,

欲用青白之手

收拾一切殘葉,

以完成冷冬之工作;

至於人兒,

164

凰

為老鶯而辛酸之印象縈着，
頹委欲死.

儘在橡枝上嘶着,
總是愚人的挪揄,
不仁者的誚笑,
遼遠的海岸裏
慈母屈膝伸手狂呼,
淚兒隨波遠去
潤其失掉的愛子之脣?

儘在橡枝上嘶着,
孟浪地挾歸雁前來,
他們的羽在我故國裏變換,
落下殘敗的在河干,
沒有人留心此詩意,

165

為幸福而歌

因他們去了重來。

儘在橡木枝上嘶著,

他重問我曾否再作童年之盛會!

我失去了溫背的日光,

牲羣緣登的曲徑,

此地片片的雪花,

在我心頭留下可數的斑痕。

儘在橡枝上嘶著,

你的呼聲太單調而疏懶,

僅引我心頭抱歉之狂噪,

而思想與歡樂之諧和,

光明與黑暗的消長,

惟上帝能給我一回答。

166

————— 風 —————

儘在橡枝上嘶着，

夜色終掩蔽我的眼簾，

深望此地的新月鐘聲，

與溪流之音，

給你一點臨別之傷感，

然後永逃向無限——不可重來！

167

為幸福而歌

雨

輕盈而親密的顫響，

是雨點打着死葉的事實；

你從天涯逃向此處，

做點音樂在我耳鼓裏。

這種連續的呻吟，

沈在我心頭的哭泣，

我願死向這連續的呻吟裏，

不用詩筆再寫神祕。

我在故鄉的稻田認識你，

不過那時我年紀尚小，

你濕了我的木屐兒

163

_____ 雨 _____

不拉手便微笑着去了.

那時你欲河水驟漲,
拚命從屋後的林裏下來,
終於無益
魚梁仍顯出太半!

河水驟漲!有什麼意思,
至多浸壞幾塊粟田,
你思想變遷了
終來此地作連續的呻吟.

如果認識你是故鄉的一個,
我們或是老友
告訴我遊行所得之哀怨.
增長此心的血痕.

169

為幸福而歌

記取我們簡單的故事

記取我們簡單的故事:

秋水長天,

人兒臥着,

草兒礙了簪兒

蟻螞緣到臂上,

張皇了,

聽!指兒一彈,

頓銷失此小生命,

在宇宙裏.

記取我們簡單故事:

月亮照滿村莊,

——星兒那敢出來覗覷,——

170

兩

另一塊更射上我們的面.

談着笑着,

犬兒吠了,

汽車發出神祕的鬧聲,

填田的木架交义

如魔鬼張着手.

記取我們簡單的故事:

你臂兒偶露着,

我說這是雕塑的珍品,

你羞赧着遮住了

給我一個斜視,

我答你一個抱歉的微笑.

空間靜寂了好久.

若不是我們兩個,

故事必不如此簡單.

171

為幸福而歌

聽,時間馳車走過

"Que ta poitrine, en lents mouve-
ments, se soulève

Et que parfois aussi, sous l'étre-
inte du rêve".

V. Kinon

聽,時間馳車走過,

誰都無法挽留,

一概全褪色了

印象,感情戀弔。

深睡的人,

你心靈平靜了,

昧於所有之經過:

沈寂在四周跳躍着,

172

聽,時間飛車走過

建設一層墮落之氣.

鐘兒狂呼要求解放,

但星月都挾着冷酷而來.

以瑣碎的餘光,

在窗頭諂笑,

一片紫黛的平原,

還作他們的從犯,

板臉道人短長,

天空雖有水晶色的希望,

但全無花枝開放的消息,

惟犬兒狂吠,

——這值得什沒,——

幾激怒塚中的幽靈.

試想想太白的

"黃河之水天上來,"

173

爲幸福而歌

生命是挨眼淚的東西，

抑現實的夢墳？

試想想不見眞面目的廬山，

試想想商賈齊集之 Honolulu,

那你就睡不着了。

174

將來初春的女郎

"Who ever lov'd, that lov'd not
at first sight!"

Shakespeare

（一）

如開窗的季候來了，

我將偕你

同坐園中的板橙，

——裸體或擁輕紗，——

聽 Cou Cou 的唱，

蝶羣在濃陰的道上，

調弄露臂的女郎，

她們有萬千

不可摸捉的情思，

（如你將睡時之驚醒，）

175

為幸福而歌

無從解釋的疑問；

淺草似給她們多少忠告，

但鮮花又引人入夢境，

前面高高的，

是去年積雪時平岡，

鴉兒曾盤桓了一夜，

今也散滿了瑪加利的新蕊，

頓在風光裏佔了一些兒位置。

她們採集了若干乾摺的花片，

全是為投贈用的，

於今春色重遍人間，

也無勇氣再動手了。

（二）

在絃聲彈出的月户裏，

銀白全布滿枯瘦的園林，

風兒不來，所以空間全不受擾亂，

176

將來初春的女郎

雲片每欲與月兒嬉戲，

——遮住他半晌——

但神魂不定的她們

全開了窗牖，

曲肱遠眺：

回想那不可多得之印象。

遲疑不進的夢境！

偶聞野花之香入袖來，

遂淚珠兒點滴了，

呵可貴的少女之淚珠兒。

177

爲幸福而歌

黎明時所有

載石的車兒

角, 角, 角……韃韃

鈴聲(送食物的)

鈴鈴……

犬兒

唔霍唔霍……大殺風景了, 樓上的少年
正尋夢中詩意, ……唔霍……你是人間
可憐的忙亂者.

太陽(在窗裏一望)

前面的橡林叫我快起來, 人們一望見我
便張皇着, 有的趕快穿衣, 有的面變紫色,
(不曉什沒遭遇,)玫瑰兒則在園裏拍手
狂笑. 呵, 眞是樂天知命的蠢才.

178

黎明時所有

葉上的蝸牛

夜色沒給我多少事物!你又來此地摧殘,

僅藉着--點光的力,便擾動了我們!

蘋菓樹

也給我一個熱力,雪兒太使我們杈枒了.

犬兒

唔曬唔曬……今天風兒既不狂呼,總有

較好的光景……麵包也多吃一點.

山麻雀

幾天不見了,有什沒新聞,我纔從羅濱孫

山裏回來,那面人都預備聖誕.

鴨兒兔兒鷄兒(一齊唱在園中籠裏)

去,去,一齊去!我樓上的詩人欲流涕了……

179

武幸麗面歇

我的輪迴

"Nous sommes les enfants soumis
Des siècle si souvent promis"

J. Noir

你是我的 Métempsychose,

萬惡中最良好的一閒;

細小的心房,

無愛憎亦無仇怨,

穿着輕紗在風前搖曳,

我說你是此地的女王：

　　　　你有時哭泣,

像塘邊的垂楊,初見秋來便縐了眉頭,待

冷冬來了,又無袍褂可穿,於是哭了.

180

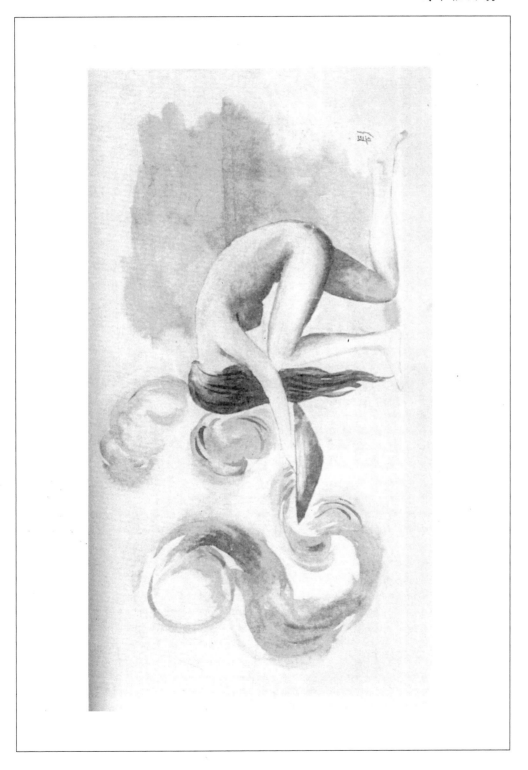

我 的 輪 迴

你 有 時 疾 笑

像野外思春的女郎,她們彈着四絃琴,和
Guitare 拉手環跳着,先唱國歌,後來唱"呵
你生長在 Titiyamtata," 調子變得太驟,無
法諧合,於是笑了.

你 有 時 嬌 嘆

像啼血的杜鵑,他看見春去重來,沒得到
多少樂趣,又落紅滿徑了;黃鸝無力同挽
此狂瀾,於是嘆了.

你 有 時 疎 懶

像傍晚的浮雲,也不留心斜陽送來幾點
紅,更無心與佼兒作戰,只望海濤之狂叫,
於是懶了.

181

為幸福而歌

給一九二三年最後一日

我們長別了,殘年的末日!

你逃歸上帝創造之手,

我徘徊着待他們的號召.

切莫忘記此等悽清的交情:

你的清晨從平地醒來,

帶着疲乏的眉睫,

馳逐那神祕萬變之黑夜,

山峯無意吐出一線微光,

霧兒遂張皇抽身去了,

但浪頭又繼續產生;

風兒高興了,

唱幾闋 refrains,

戰慄細草編成宮室的鷓鴣.

182

給一九二三年最後一日

我們長別了，盛年的末日！

你清新的四月——五月

充滿着醉人的神氣，

不關心的大小鳥兒，

都翔翔的歌唱，

像欲在青天裏作一畫稿，

——但誰去着色呵；——

那矮林的濃陰，

開手便摩擎我短髮，

蜂蝶兒暴動着，

似欲在這世界裏另設自治機關；

流泉也變了哀吟的腔調，

在氈褥似的草地上偷閑，

那時我正在日耳曼，

執筆疾寫這等詩意，

你並不給一點忠告。

183

爲幸福而歌

以是一切光景都飛跑了.

我們長別了盛年的末日！
你將在幾十鐘頭內，
與我永訣，
無重見親屬痛哭，
無懷悔此來的虛度，
這全是自然一椿罪過.
後來的千萬亦同走你的命運.
我們長別了盛年的末日！
舟車竚候着你上道，
我得到你賜我的侶伴，
——多能歌唱——
旣不孤寂了，
亦預備不再哀感.
抱點勇氣與他們那些
作今日與你一般的長別.

184

狂　歌

在漫漫的長夜裏，

我獨自與我心跑着，

因車兒折了輪

馬兒壞了腿，

就是上帝的懲罰呵．

我逞什沒？

赤紅的空拳，

打倒他們的王座！

他們是兩個三個——四個，

一齊站立着多麼醜惡，

在風前搖曳多麼醜惡，

吁何以死得這樣早，

從此捱到西班牙去，

185

為幸福而歌

他們許我一座王宮，

幸福卽是流落！

更何須"烟酒加非榄香扇."

在漫漫的長夜裏，

我獨自與我心跑着，

道旁的深黑裏

是當年接見天使的地方.

你以為真的天使麼？

她不過是簡單能微笑的美人，

後來變成我的騎兵，

我們常馳騁原野與海岸，

但她變了女英雄，

一去無蹤了.

186

一無所有

落日為了晚霞而嫉妒，

還想有半秒的回顧，

奈毛髮愈散愈赤

頰兒亦漲紅了，

只得羞赧地掩面而去；

鋤稻田的領着牲口，

最小的哞哞地跟在後方，

歸鴉銜着小枝，

呼的一二聲

欲在黑夜來時示其威武，

黃葉經此--日之訓練，

四肢更形軟冷，

山谷最愛的紫黛，

187

爲幸福而歌

亦暫變成灰暗.

遊玩與勞作的人悉去了,

流泉只弄自娛之單調,

若明月能給他一片反照,

幽草定臨歧瀧淚,

呵這是我筆兒哀吟的時光.

在海天的空處,

一無所有,

不成片的行雲遊冶着,

似欲與鳥羽比輕重.

可是浮鷗拍浪去了,

精藍的水色,

是他們晚粧與宴會之鄉,

歸舟激出的浪花,(Oh nerf noirl)

像傷心人的眼淚.

188

一 無 所 有

海水是不馴服的，

有時專向坎軻的岩石攻打，

一種呼嘯的聲音，

使得山谷全發怒；

但終為深黑籠罩着；

僅開覆沒着遠處的嗚咽，

呵這是我筆兒哀吟的時光.

風兒在窗外趕着雨點，

尾瓦發出報復的呻吟，

長林惟有灰死之色，

給遠山憑弔.

一切全哀死了，

草莖無力舉頭四望，

石級咬牙耐此殘冬，

我們席坐在板橙，

爲幸福而歌

看此不可摸捉之變幻，

用雲底的陽光曬背。

這是生命與情愛呼吸的交點，

呵，這是我筆兒哀吟的時光。

190

Mal-aimé

"And forget me, for I can never
Be thine."

Schelley

離奇的新交駭異地聽我唱

Mal-aimé 的情歌，

學調奴隸齊呼之音韻.

我纏綣美麗的木偶兒

遂明垂楊痛哭的原因.

我有生活的疲倦，

眼瞳裏有詛咒的火燄;

叫上帝毀滅我一切，

你終得聖母的保護.

191

為幸福而歌

心與臟都使我痛哭，

我一定要從茲死去，

以其還作一次疾笑，

寧拉手兒亂呼．

你——及一切的人，

命運之佔據者，侵伐我的門廬，

蹂躪我的故國，

將終有一天愛上你；

你生長在一個中夜裏，

呱然一聲，

帶一種需求呼喊，

好了，你唱得多了笑得多了！

倦怠地臥着，

任髮兒隨風揮靂，

我在這黑影裏，

192

Mal-aimé

或在街的角裏,

或我的飯堂裏認識你.

我指點你到高處去,

你儘眼兒微笑

像一齣古方言的談說;

我於是說你唱得多了,笑得多了,

我們老舊的心靈,

正在無涯岸地倨傲.

你休憩在我光影下,

如遊牧者在帳幕裏,

如 Vergine 在長夜裏.

我是人叢裏出來的一個.

眉目仍無限昏亂,

你張手向着我,

交給我不可攻之 destins;

193

為幸福而歌

如國王在牙床假睡，

詩人袖手沈思．

194

投　贈

"mais qui donc referait

ces vains pélerinages… : "

P. Benoît

飄忽的時光裏

分不清你我,

眼淚曾如海潮般流過,

如今向犧牲裏靜寂了.

別的留戀,——換金銀的事情,

全在你廣漠無涯的心!

擔愁,旋轉,有趣味的奔走,

我擔當了,

我的女王,

囘復你的故邦去,

195

歌 雨 臨 幸 爲

留下點遠方傷心之淚.

全是歐西的湖浪,

疲乏我的槳兒;

更有山川認識的可怕,

青春留存在面頰,

衰老埋伏在心裏,

趁此枯瘦的空閒,

檢點些腦蓋的年齡.

196

在我詩句以外

在我詩句以外，
你還有居留的場所麼？
山谷板着老臉
卽你低唱亦無回音了。

流泉與明月的清澈，
遊行着給詩人歌詠，
何以細弱的光影與微音，
都給我們心靈一筆賬。

沒有疑義，
聖園的牧童睡了．
一片蒼白的平岡，

197

爲幸福而歌

在冷風之前匍匐.

此等棕黃與灰暗的一片,
是自然僅有的心臟.
往昔的春夏,
他是不能信托的了.

此是世紀上時間的一節,
僅有心的平和能作證,
如清新與生動的微笑,
探首望扶杖飄泊之年.

何處是我們的盛年,
豈飛跑到別的海天去了?
人說遠地夜織的女郎,
無力療清晨的昏醉.

198

在我詩句以外

這等憑眺，

全不合算，

你多好芳香的鼻官，

豈僅能以此而入睡。

如其我愛重見明月流泉，

是因失了遠地松濤的呼嘯，

他們天眞的嬉戲裏，

告訴我淺阜平湖的無恙。

（Fragment）

　指上的玫瑰，

　心頭的杜鵑，

　與無味之短歌

　是好事者玩意兒。

199

爲幸福而歌

我疊了紙兒，

欲寫人生形容之句，

驀地一聲魍魅之晋，

燭兒流淚熄了。

隨風去的，

是生死與疾苦的眼淚，

蘆花哭得兩頰深瘦，

瀑布高歌 Hohi-haou.

無阻止哭的，

亦無可發生笑的.

自然的安排，

比兇手更爲強暴.

200

生 之 炎 火

生 之 炎 火

"La sottise, l'erreur, le péché,

la lésive,

Occupent nos ésprit et travail-

lent nos corps."

Ch. Baudelaire

我看見魔鬼

在黃金年歲的頭上跳躍，

張牙欲嚙，

於是我遨遊着

接收當頭的一棒。

我遨遊着，

鍛鍊這屏弱的心，

201

為幸福而歌

如雪花在岩整裏嗟嘆，

將拉手同訪此神奇：

海浪呻吟着，

洶湧地到崖石之斷落處.

喁喁了一會，

產生無數青白的沫，

如"河之干兮"的揮淚，

頹委地去了.

但有多少徘徊！

他帶了什麼去？

我欲與閒生的滋味，

遂欺騙一切愧儸我的壞人；

來日方長，

心頭的幾片紅英，

就如此飛散麼？

202

火炎之生

遠處的天鵝,

流血在呼喚裏,

可惜 Diane 深睡了,

我願摸撫其修長之頸,

縱疎懶的遊戲,(呵自然之愛媳.)

阻礙我的前程.

當然可愛,

一片赤銅似的陽光;

河流流出反照,

古松頹臥如女神,

但這等詩意的結局,

將停止心房的音韻,

眼兒失亮,

口角流涎.

我欲與聞生的滋味,

203

為幸福而歌

逶欺騙一切傀儡我的壞人.

我僅需要一張空地,

油膩處產生多數色螺哥,

在葉之陰處修養,

蟻螞是太擠擁的,

蚓蚯無味!

幾根草兒足矣

204

舉世全是誘惑

舉世全是誘惑

到何處歸宿,

此等廣大的靈魂,

我守候命運之女王前來,

使其隨陽光而強幹,

她休止在生強的蔚藍天裏,

伸長一切聰明人之夢:

花片隨音樂之聲而飛散,

盛筵之後眼淚橫流.

何關緊要,

你夢向海岸哀哭,

月色之鳥兒唏呧.

且來,再燃生命之紅爐,

205

為幸福而歌

完成守候的大計，

誰要歌唱太多，

如生靈是一片浮雲？

欲以此微笑救生命，

且在靜寂中少候，

看看是否詩與墜落了．

殘冬帶來萎縮之冷氣，

強我們促膝戰慄着，

何處是温帶的日光

如黎明緊戀着黑夜

你向我洒淚洒得多了，

給我心曲一個永遠的回音，

我在遼遠處望望你，

於是頰兒漲紅了．

206

舉世全是誘惑

"舉世全是誘惑",

因此生的需求遂錯綜了;

及得到一點教訓

眼淚亦流乾了.

呵我們應有別種生慾的趨向,

長此笨着去麼?

小小的公務盤着腦袋,

接收一點新的來!

如不能,

且找尋我們的青春作嚮導.

207

為幸福而歌

枕　邊

銅笳兒一鳴

鷄羣齊噪，

長夜掉了靜寂

在園裏去了！

我想是一日的生機，

但心房無寧息地跳，（接受此厚賜）

強疲乏的臂，

撑這身兒起來，

坐着望望，

衣襟外的冷氣，

用疾視睜人．

彼人半片嘶嘶的睡聲，

教人留戀，

208

枕　　　邊

囈語旣過去了，

惟漲紅的頰，

與錯亂的髮，

顯出倦態.

還有脚兒無力，

骨根酸痛，

是春兒來了麼？

抑昨天的霧兒有毒？

209

歌而題幸喬

秋 老

老大的日頭

在窗櫺上僵死,

流泉暗哭在荷根下,

荷葉還臨鏡在反照裏;

歸鴉痛哭失路的兄弟,

因秋氣凜冽到四方

我多孔的心,

做夢在蓮葉柳條上,

每個空間的頭響,

給他多少驚醒之因.

詩人,我愛你筆所看見的波濤,

淺白的濺花裏.

210

秋　　老

有無數銀色的魚羣上下，

巖石無力作不平鳴，

不像這裏秋老山黃，

路旁的楊柳與楡，

無言對此衰敗

一片痛哭之兆，

圍住我的四體，

如 Pan 神之欲笑還慇．

雖然對此垂淚的變態，

還能作笑麼？

在窗牖的簾後，

（額兒靠着玻璃，）

無言對此衰敗．

總之，秋是我們的忠臣，

他盡力保存我們之印象，

211

為幸福而歌

與生命中應銷失之

最美滿的一刻,

他不嫌你衰老

同款步在落日裏,

他可給你一千句回答,

如你懷想遠地親熱之分離;

月夜歌聲之淒切,

萬人成隊的洶湧,

欺騙之夫的詭詐.

他又是樂天知命的一個,

葡萄成熟時,

他與faune神痛飲,繼以裸體的舞蹈,

(惟這時候不是我們的忠臣,)

歸雁無力勸阻這荒唐,

平原惟板臉嘆氣……

212

秋　　　老

於是他去了，

給我們幾許抱歉的 adieu。

213

為幸福而歌

呼 喚

你生長在什麼田野，

神的樂土裏麼？

如許生理的強幹，

眼瞳保存着淚影，

口裏有低唱之痕，

不能忘之 beauté

無祕密亦無脚蹤。

來救我們

哀苦的時光，

你身軀的飄渺，

給人長大的恩惠．

214

呼　　　喚

那面紫藍空氣裏，

人與獸擁擠着，

都是極力進行的表現，

每舉步裏有疲乏的氣息，

更何暇問他們的輾轉，

其變作海的波濤，

風的 innocent，

來救我們

哀苦的時光。

不能躲避在你哀矜裏的，

是沙漠中乾死的人，

帶你田野之春氣來，

解我腑臟的束縛。

你眉頭全站着晨光的嬉笑。

其變作秋的閒散，

215

爲 幸 福 而 歌

死葉顫幾張殘音，

多罪惡的垂條

向空間哀禱，

更可創造夜深的沈靜，

你得到全宇宙管轄之權。

呵夜深的沈靜之末，

像四絃琴的哀吟，

僅一片聾暗之音的迴環，

如少女痛哭在 caresse 之下。

其實一無所有，

或僅野松鼠在枝上匍匐，

引我心惹大的呻吟，

俄而一個不相識之夜鳩，

發出一諧調之音，

如萬喜中的失望。

216

呼　　　喚

神祕是不過如此了，
其變作海的波濤，
秋的閒散風的 innocent,
給我一句無答的呼喚．

217

為幸福而歌

灰色的明哲

不必太過要求，

幸福是不可摸捉的東西，

且有萬千種類，

何必食前方丈！

幾點傷心的淚，

一席肝膽的話，

旣勝過 beaucoup d'argent.

抱點童貞的癡心，

少勾留易興感的長夜，

兩個旣覺太多了，

在空間肩比靠着.

況你必不我愛，

灰色的明哲

假如我是別一人.

我欲將你,

裝飾在我詩句裏,

但怕你易唱的情歌,

觸動他們的全部.

因這是不可摸捉的東西.

也不必亂稱老少,

兩個既覺太多了.

219

為爭福而獸

明星出現之歌

什麼一個香的曲徑在你心頭,什麼一個雪的鋪張在我筆下?

黎明帶給我允許幸福之兆,黃昏戰慄明星之出現.

我堅守着一切我失掉恩愛之全部,惟保存着心之諧音與呼喚你的偉大.

人說生活是隨處暗礁?那麼惟你的溫愛與半紅的唇是燈塔之光.

大神喊道:你如此年輕而疲乏之游行者,到何處去飄泊?沒有一個山川的美麗,如兄妹般等候着你,沒有一個生人,回覆你親密的點頭.卽流泉亦失望地向你逃遁.

220

斷　　送

斷　送

生角的長蛇,

折羽的鷹準,

呵天國所來之兄弟,

就你所找到的沙漠

讓我們坐下.

聽,廣杳的長天,

在無主之大地裏,

接受新月與微風的友誼,

時日多了,

自然夜狼與豪狗,

撕散我們的軀體,

拋擲殘骨在炎日之下,

接受新月與微風的友誼.

221

為孝禰而歌

我舟兒流著

我舟兒流着，

亦如此其久了，

不戀眷兩岸的明媚，

縱他們在耳邊齊唱；

遠地的微招之手，

是所愛候我於河干.

不打槳到與海交流處去，

波濤是恐嚇生命之利刃，

寧回到如狹港之橫塘，

因歡樂只勾留在片刻.

"無重見你所夢想的王子，

222

我舟兒流着

他們多皺了眉頭，

束手聽黃鶯歌唱，

暗想道：青春是與我無分了。”

我覺我舟兒流着，

他們又皺了眉頭，

在一個無力的清晨裏，

執筆寫這等詩意。

223

為幸福而歌

星兒在右邊

星兒在右邊，

星兒在左邊，

　我們散步在中部，

　（一個亂石的小路裏，）

　被他們不同情地統治着。

　何以他們不同情，

　因月在山麓隱居去了，

　掉下我們的友情，

　留了這個給左右的星兒，

　奈他們不慣看這老舊的一齣。

　往昔美麗的日光，

　在心頭留下一雛子，

224

星兒在右邊

欲飛無翼;

就在這朦朧之夜裏

我夢想他所照耀的遠方.

我開張這赤紅的心,

接收在夜間逃遁的一切,

如同你半響之忠告,

呵,我故國之女王,

在此你是沒法歌唱了.

225

歐而福孕篇

你白色的人

"Toi qui brilles enfoncée uu

plus tendre du cœur,……"

Charles Mauras

呵你白色的人，

僅有的侶伴，

一切印象之證明者，

所有期望還在遠方，

不死的顏麼旣在目前了.

你駭異到罪惡攻圍着，

遂需要我忠實的心，

他們細弱的拍，

帶有血的疾流.

226

你 白 色 的 人

他 正 核 我 們 生 命 與 幸 福 的 賬.

僅 需 你 胸 部 有 一 微 隙,

便 可 認 識 你 的 心,

他 們 鼓 舞 着 既 折 之 翼,

飛 翔 到 高 處 去,

揀 一 片 浮 雲 遮 蓋 着,

他 們 留 下 大 地 與 月 亮,

豈 不 是 眞 實 的 投 贈?

還 有 微 笑 的 風, 板 橋 的 孤 冷,

若 我 們 無 言 相 對,

他 們 將 從 此 更 沈 寂 了.

227

為幸福而歌

Salutation

我囑咐聰明的耳
流麗的眼睛，
使幸福的平和
不致設計逃遁，
雖然，我能長此莊重擔愁，
保護此一齣微笑，
半顫的音響？
縱可怖的飢渴，
驀地裏警告我。

吓，命運之大臣，
我從此無力抵抗你，
倦睡侵伐了我，

228

Salutation

在無戶牖無屋底處頹臥了，

你可以左右我，

如風支配垂楊；

我得赤足隨你，

到無限的宇宙裏，

惘然和信託地進行着．

厄運與幸運，

於我是沒有別的新義了．

願以後靈魂不再呼飢渴，

破絃時發哀音．

229

為幸福而歌

剛纔諂笑的人兒

剛纔諂笑的人兒，

和天際的炊烟，

一切從此去了！

惟海風如羊羣般狂跳，

攻打我四壁，

鳥兒離了新窠，

向空中遨遊着，

如魚在浪頭洗浴，

不過多給人一點鄉思．

所有平原，山邱折蓬的小草，

思慕脫離這殘冬之嘮叨，

享春氣之平和，

230

剛纔諧笑的人兒

與蝶兒在他們眉頭亂撞.
惟寺鐘總在遠處呼喚,
他們遂無力束裝了.

蔚藍的天空,
如今盡浮雲去佔據,
但終於無力屯守,
向東北之天星散,
俄而散了復聚,
比夜色還要濃,
如 Méduse 髮後之長蛇.

231

歌 而 稿 華 翁

在天的星兒全熄了

Die Sterne, die begehrt man nicht,

Man freut sich ihrer Pracht.

I

我欲用你口兒,

製造詩句,

但所有的記憶

都消散了.

我寫疾流的水,

變色的天空,

到春色滿園時

再描你不馴的心.

232

在天的星兒全熄了

我要你的手,

撫這傷寒之額,

於是屛弱之吐氣,

化爲海市蜃樓.

II

這等是你沒見慣的:(帶病的詩意,)

在天之星兒全熄了,

雨後千萬爬蟲匍匐着,

樹葉兒擺着新洗之臉,

不久,小鄉村抱頭睡了,

還留下幾盞殘燈,

去支持這孤冷.

流泉收束終日的哀哭,

變成單調,

欲從此與女神私語.

233

為幸福而歌

III

兩個生物走着，

他們遠離了鄉土，

去看火紅的樹花，

廣杳百里的鯨魚。

夜像靈魂般空泛，

向回憶去找尋食料，

但心頭有點煩悶，

遂厭惡此污濁之空氣。

雖是大雪的天氣，

卻兒在前面開着，

一片大地的呼吸，

進我心裏蘊釀病源。

234

在天的星兒全熄了

我聽不到什麼，

更不想到什麼，

小鄉村的老實之景象，

給我片刻之 Eternité.

IV

"豈是末次的夢想?"

懷疑的人如此思慮着:

一半青春的時光，

無聲響地墜地了.

V

微笑之口的呼吸，

發出醉人之香氣，

若無人愛惜之，

便飄渺銷失在天空.

我有 Surnaturel 之性格，

235

為幸福而歌

如殘冬欲脫尊之花朶，

可惜一半青春的時光，

無聲響地墜地了.

撒手罷!

此種 Mensonges,

既殘舊的調子!

我以前衝動時,

亦如此首逸去,

一樣的晴天,

雲兒向岡背趕着,

如今我又在這裏了.

VI

往昔的春夏之炎,

有鴨藥在長林下,

236

在天的星兒全熄了

半靠水的渚上,

他們遊戲着 ——?——

如今春夏之交過去了,

我 也

償了一部時間的新賬,

鴨群旣不遊戲在水上了.

237

爲幸福而歌

足 音

吁,不欲看見

吾行經沙漠之足跡,

縱那時沒有可怖的音響,

而大神之笙管仍奏着,

吁,遊行的狂風,

其把他們抹煞去.

去死尚如此其遙,

且我不能於年少撒手,

我愛慕榮光與歡樂而來,

卽照耀之銅柱忠實之庭柱,

亦給我不滅之情緒.

不願以此闔眼而去,

238

足　音

昧於這永遠裏之 éphémères.

科頭走去，

冒着風與雨雪，

呵，大神！

開始你蒼古的鐘聲，

他將告訴我世紀之寶藏：

在北部的古城裏，

宮室之牆頽廢了，

蟻螞蚯蚓佔據着；

我將併而有之，

成爲流徙後第二故鄉。

239

為幸福而歌

我們風熱的老母

"Croirais-tu, par hasard, que
je dusse haïs la vie et fuir au
désert parce que toutes les
fleurs de mes rêves n'ont pas
donnée?"

Gœthe

你滿足了意慾麼？
我們風熱的老母，
那面滿望白色，
是否要發洩悲憤，
抑追悼少年的情愛？

你造冷我室內的空氣，
使得美人全戰慄，

我們風熱的老母

無人道可言了！

若凍死齊唱的鳴蟲，

泥濘之末的流水.

告訴我們到何處去遊玩，

因爐火必剝地，

細訴往昔之幽怨，

鐘聲如戰後之勇士，

倒戈直進我心房.

我們是英雄！首途去，

從你處獲得一場勝利，

試敲敲這等前胸，

無絲毫頹敗之迹，

所恨為你冷氣盤據着.

241

為幸福而歌

你 少 婦

你少婦，
有修長的腰，
聽見這音樂
何以眼兒濕了？

你少婦，
有磊翠的眉頭，
聽見這音樂
何以背兒傻了？

你少婦，
千萬人軍之長，
何以在夜候談心時

242

你　少　婦

唇兒無心地聚合了?

你少婦,

詩人之筆的仇讐,

重來此地時

你定不是仇讐了?

243

為幸福而歌

故鄉的槐下

I

相思的時光，

是四月醉人的天氣，

修條的蔭下

淺草喚兒女席坐着．

那狹窄的裙裾，

擺在腰間蕩漾，

縐紋的變幻

引我夢想神羽．

斷續的談笑，

是心頭漸時的結晶，

故鄉的櫟下

無落淚到清流裏,
天鵝正與女神游泳着.

雲兒在天際跑着,
總沒有情愛一半的迅速,
況往昔之夢境
朦朧在岩山凹處了.

雖然,那幾不可辨之飛燕,
他單獨地毀壞我的心,
因他得意的新窠,
築在我故鄉櫟下.

II
"長眼角的英雄,——
道途所忘卻之奴隸,——
願拖此蜿蜒之鎖鍊."

245

為幸福而歌

當你語言溫和的時候,天色是藍的,
我的情愛貢獻出他一切弱點,我們對睜
着.吁,何幸而得此長睜!

然後你說:應滅除這 folies,但我終
愛聽海水誘惑之歌,所有情緒都攻圍我
軀殼.

單調的日子,還有不耐煩的情緒,幸
狂風呼嘯着,吹去我們心邊之靜寂,但亦
過早呵.

我認識有故園花朵墜地,陽光散其
taches, 他們滿着期望的擔愁,切不可去
遊玩.

人能嗅到的海風裏,帶來池塘微笑
之消息,若遠山仍擁紫黛之袍來,情愛亦
必比去年多一色彩.

246

舊　識

1

我認識山谷之深，

濃陰遮住弱流，

野草低頭，

怕風來傷損腰部；

有時忘機的黃鶯，

天真地問這靜寂，

他也念：何以季候遷移了。

昨夜的月兒，

還到平岡上問訊，

匆忙地

摸撫這傷痕.

山神—— Pan 呵——

247

為幸福而歌

對他演個蹣跚之舞，

奏一齣蘆管，

以是季候遷移了。

II

我欲將不需要的

寄託他們，

但每個夜色來時，

我便按琴

唱那低眠的芳草。

遏人歸路的細枝，

當年與他們有多少遊戲，

從沒有把 Naïf 的期望

宣佈過給他們，

不然，如今旣在心頭發揚光大了。

III

我欲細問愛好自然之詩人，

248

舊　　識

曾否受此刼掠:

一根花片之飛舞,

埋怨蜂蝶的狂亂;

暮年的松條,

雪花作其白髮,

——豈依閭而望者?——

他們總望着平岡,

惜知交星散,

舊識的惟烏黑的黃土.

但他們是無所表現的;

晚霞組織彩衣之色,

欲在最末之一刻,

招籌車之女神齊舞,

——海浪還戲笑他呵,——

但烏鴉有點不願意,

呼喚着天遂昏黑了.

249

為幸福而歌

偶然的 Home-sick

"L'homme n'est-il donc né que
pour un coin de terre
Pour y bâtir son nid et pour y
vivre un jour?"

A. de Musset

遠在天邊的故鄉，

往昔心房所愛之一角，

河流汨汨，

如少女臨歧洒淚之嗚咽，

渚後的黃沙，

為浮鷗之金色世界．

惟我童年能享那昇平了．

250

偶然的 Home-sick

但是,遠你的此地,「自然」旣不是慈母了,

雪花僵冷人肌,

狂風欲掠毛髮西去,

天際遊行的日光,

很少露點微笑,

機械地每日監察一次,

從不解人心頭的需要;

縱花草齊立,

總以我爲不速之客,

也斂收了香氣,

像怕人攀折枝條.

但是在你的懷抱裏,

「自然」是我的褓母,

飄忽的温愛,

於是能長大神奇的新氣!

爲幸福而歌

流水唧哦地攻打我赤足，

濃蔭在薄氣裏休息，

鳥在枝頭唱午，

羊在牧場嘆氣，

斯時我正欲喚你的名兒.

平岡穩現欲奔的一線，

與浮雲挪揄人的兩眼，

至你相逢的笑，

與慈悲之眼淚，

引我思慕別離的清晨，

可是你沒給我珍重的話言.

願我們一天重見.

（千萬莫叙離衷,）

仍舊交付我

淺綠的平浦，

252

偶然的　Home-sick

忠實的溪流，

低唱重逢之曲．

楊柳與槐無裙裾地

臨風喜躍，

月兒將怪我

性好飄流，

復逃歸故土了．

可是我有話對他說：

你只要交付我

淺綠的平浦，

忠實的溪流，

低唱重逢之曲．

253

為幸福而歌

Vilaine 的孩子

Vilaine 的孩子,

你是誰?

其裝作美麗

除去使你 Vilaine 的輕紗,

我認識你

你不是醜的.

且青春的鳥兒,歌唱

　　給屋內的女孩聽,

　　至於你,不需要的,

　　你有了情愛

　　同遊玩在平原裏.

你深海之旁的荒島,欲囚拘我的年少,你

254

Vilaine 的孩子

嶺表以東的村落,欲強余沿門歌唱,

　　　　山川的精華

　　　　隨我去了,

　　　　還有何愛戀?

以是眷念比盧斯堡之緩流,布來爾長林

之靜寂,這等培養我之女神,

　　　　　每慣給人一個遺憾。

我該去了!

盈握的菓實,

乘桴而去,

你山川的女神,

終久是我命運之輔助者麼?

255

為幸福而歌

春

吓，弱小而輕率的春，

你雖未暴露整體，

我既為你奴隸了

你清氣麻醉了我四肢.

Timide 的平闊裏，

微現殘冬之去跡，

他揮淚而別之話言

我不能殘忍地歌唱給你.

他交給你坎坷的枝條，

茸茸欲睡的芳草，

惟祕密我所候的期望.

256

春

我信托你能浸潤我年少，
所以赤足地徜徉着，
但溪潤與長林悉注意我行蹤。

257

篤幸飄飄歌

重見小鄉村

"——Vois nos prés vertes, vois

nos fraiches pelouses

où vient la Jeune fille, errante

en liberté,

chanter, rire, et rêver après qu'—

élle a chanté,"

V. Hugo

吁,你多紋的皺額,

如今帶春氣的反照來,

往昔欲嚙你脚跟的洋水,

如今也變色逃了。

但他們仍呼嘯着,

似號召遠地的捲土重來,

我眺望的視線亦變了:

258

重見小鄉村

緊指天際的寺頂，

亦以小鳥的請願，

不再發悽切之音．

耳目所管轄到的長林，

亦預備一點淡青；

欲舞於此之女神，

牽裳來了；

行雲懶洋洋地散着步，

無力與浸藍之天色作戰，

他們失去嚴冬時之威武，

引爲終身遺憾似的．

我不向你訴心頭的羨慕，

因他們本身旣太輕輭了，

但此照我們席坐之陽光，

總該有友誼的微笑，

259

爲幸福而歌

或旣往生活的申說,

雖然,他終久誘惑我們,

所有的潛力眞理與火燄,

化作一齣閑夢,

如女孩歌唱後之虛枉.

吁,我能相信你,

在我小窗之口終擺着多紋之額,

與如今帶來春氣之反照.

煙突,矮樹紅牆,

悉在我眼簾裏爭位置,

於此富厚的陽光裏,

人銷魂在小鳥的微唧.

此地的風光固是爲我的,

奈尙有

直趨入海的懸崖,

260

重見小鄉村

（似欲渡太西洋而去,）

伴夜潮在港灣歌唱,

或外觀離奇之城堡,

留下前代頹敗之墟跡,

時釀潮濕之空氣,

欲吞食一切季候之華.

但那等尖塔和故壘.

有時指住行雲之輕忽,

或平淡無奇的原野,

彩衣的遊人東西散着,

像汙損了山川似的.

他們不欲瓜分這自然,

只願生活的煩悶,

從此銷失下去.

或清新的夜裏,

野樹極力以枝枒之手挽住新月,

261

為幸福而歌

時有獨處的豪士，

弄玉笛以洩胸中的孤憤，

以是聲調所經處，

景象頓成灰死：

流泉學傷心人洒淚，

風聲像孀婦之嗚咽！

吁我不能摸捉他們，

而且給我太多回想，

我所能信托的，

是你一帶的平阔，

和不懷暴動的遠樹，

他們送朝陽進我窗牖，

和不明晰之微笑，

迨明月羞赧地來到，

他們亦極力代我挽留。

262

重見小鄉村

雖然,你千古如一日地

服此職務,

但我的行蹤

是爲命運指揮的,

終至捨你而去!

此刻所能親密的,

惟你烟突,矮樹,紅牆,

烟突!矮樹!紅牆!

263

我愛這殘照的無力

"On dit ton regard d'une vapeur couvert;

Ton œil mysterieux (est-il bleu, gris, ou vert?)

Alternativement tendre reveur, cruel,

Refléchit l'indolence et la paleur du ciel"

Ch. Bandelaire

I

吁,我愛這殘照的無力,

無論其深睡在古牆下,或輕率地點染在

叢林之葉上,吁,我愛這殘照的無力,海兒

既入靜寂之境,卽細微的不平之氣息,亦

不能聽到,惟信托風兒趕着黑雲去聚會,

組成若干不相識之外形.陽光一一從其

額上穿過,並給茅蘆幾片反照,但在長林

264

<u>我愛遺殘照的無力</u>

後的成為碎片,在草地上呻吟,沒勇氣到
天涯去退守.(吁我愛殘照的無力.)銅色
的天空,金色的雲,鉛色的山巔,漆色的洋
海,赭色的湖光,橙色的松幹,深青的菜園,
都馴服在殘照的無力裏

II

東角變成暗赤,他該逃了,夜色一步步地
向前,他更無力使雲兒透明,只待片刻內,
黃昏老死在故邸上,吁我愛殘照的無力,
烟突裏吹出一片微白,向天際直奔,似欲
向若何人告急,但這城圈倦了,在我目前
欲睡,口裏呻哦其疲乏的聲息,——像遠
海波浪衝打和羣衆擁擠之沈音,吁,我愛
殘照的無力,以是他抱頭睡了.
我們再留片刻,呵,片刻!最後的陽光將使
我們倒影錯亂,或能在這生疎之地,留下

265

為幸福而歌

不可忘記之痕跡,然而我恐怖了,何處的
矮林,能遮蔽我四體.吁,我愛殘照的魔力,
何處的霧兒能朦朧我尖銳之眼.

自然是全部疲乏了

自然是全部疲乏了，
他有休憩的必要！

何以風兒狂叫！
似欲把初擺布的春色，
一齊吹散？

牆根下的菓樹，
捧住新蕊流淚，
張皇到無言申辯；
那一帶的長林，
雖不是我們的舊好，
亦裝着愁臉，

爲幸福而歌

似尚少禦寒之具；

平原上多麼有詩意的草兒，

還躲着深睡，

不管本身顏色暗了一點，

似待陽光來了再作計較．

但他們束裝來時，

既被雲兒勸止，

留下這昏醉的世界，

任風兒去恐嚇．

吁你無數世紀以來的長生者，

當你往昔道經 Venise 的流泉，

給了他多麼撫慰，

所能遇到的詩人

都掀衾微笑．

但現在你似成了叛亂的東西了，

268

自然是全部瘦乏了

一片暴怒之氣，

幾破我窗牖而來，

（雖我們有節奏的心拍，）

你肯想到深睡的命運麼？

還有大洋之旁環跪着的，

是一切遊客與舟子之慈母，

他們的心

直隨你到好望角印度洋去，

這不過是他們臆擋兒子的所在；

或者你既把他們摧倒向洋海去了，

這嘶嘶地的，

不是人們的求救之喊聲？

（總之我從此懷疑

你無定的心腸。）

269

爲幸福而歌

我欲到人羣中

La souffrance était plus agréable

que les plaicirs partout ailleurs,

La maladie plus douce qu' áilleurs la santé.

H. Sienkiewiez

我欲到人羣中去顯露,

不欲長此平靜下去,

但覺神性尙少,

所以在暗影裏欵步.

我築了一水晶的斗室

把自己關住了,

冥想是我的消遣,

bien aimée 給我所需的飲料.

270

我欲到人羣中

此等小王國，

騎兵勇士都是自己，

有時爐火紅着臉，

鐘兒郎當地走遍天涯，

報告此日收束了；

那時我們話兒濃了，

談了斗室的擺佈，

重建水晶宮的計劃；

於是敲門的末了，

穿羽鞋的公主，

這等無意的延請，

引我出斗室之外，

我欲到人羣中去顯露，

但覺神性尚少。

271

為爭稻而歇

樂土之人們

我愛所住的,

不是辭別的場所,

陽光在榆枝上儉睡,

和風趁時來到.

(當她晚粧之後,)

不足信之夜色,

亦在鏡屏裏反照,

直到月兒半升,

園庭始現莊重之氣息;

更有孤立的長松,

伴這自然入睡.

然而

有時她眼兒閉了,

272

<u>樂土之人們</u>

我無處去說寬宥，

因我口兒不能再形容字句，

以是擁抱亦無力，

任花枝在案頭萎謝，

欲醉行人的春氣，

頓欲在我心頭結核。

273

為幸福而歌

我想到你

當天際揚塵,商羣戰慄的時候,我想到你
陽光送來春色,垂柳,在溪流洒淚時我希
望幸福的永遠.

每沈重的鬧聲,海波嘲啾地走,像故鄉的
變故,那時我追悔童年之虛度.

當我們款步在林裏,僅有細微之天空在
枝外,小鳥蹲踞在最高處,幾不能明白其
所在,你告我: Silence! 那時我想捫住心
的狂跳.

當你穿輕紗走時,我勸止你到林間去,怕
與 nymphe 混雜了,其實終辨出你舞蹈
之節奏,當你倦了休憩時,我渴望你有所
賞賜.

274

愛 想 到 你

愛情不過是一滴水,亦是回聲的反響,水
是易乾的,回聲隨處銷散;當夕陽西下天
際帶着哀傷之色,牧童的羊羣,顚沛着足
在遠處徐來,長林僅現微黑,彼兒帶恐嚇
之氣息來了,我求你同嘆息此日不常在.

275

為幸福而歌

園 中

在高高的平岡上，

我望望蒼翠的遠樹，

霧氣從那裏出發，

鳥羣在其枝頭歸宿。

在靜寂的園裏，

蜂蝶在花間擠擁。

一片孱弱的鬧聲，

引得我春心流淚。

在古牆的根下，

蝸牛冥想遠征之計，

我扶他到花片香處，

276

園　　　中

觸角給我一個謝禮.

在半晴陰的天氣,

螞蟻都爬到野荔花枝上,

我欲發令叫他們下來,

她們說這用不着我去管束.

在肥胖的園裏,

有狗兒和兔羣作主,

若野貓輕輕行過時,

他們遂憤火中燒了.

277

歌的編幸為

Ma Chanson

邃去!我夢想的情歌,

將隨流結核在她心房

永久懷念你的痛苦.

但不該受旁人的呼喚,

少女之彩衣的誘惑,

你的使命是結核在心房,

四月的園林,眼睛受了陽光--滴,

盡情流淚在陰處,

呵你可以奏一得意之 Couplet.

至少附着在多情的物體上,

278

閻　　　中

使他們發狂嚐的笑，

然後隨之到遠方去.

279

爲幸福而歌

無　題

重復回到春園來，

花朵有醉人的滋味了，

粉蝶惹不上一層愁

其留意這情愛之 douceur.

梨花之旁，我傍小石坐着，

任光的微波在心頭盪漾，

你不在此我總帶點恐怖.

吁，重復回到春園來，

你打算去享愛此一秒的一刻罷，

任生計壓住胸膛之微動麼.

記取我們第一個兩心相印，

只有冷冬之坎軻作證；

280

無 ————— 題

如今有新花美葉作頭飾，

我們第一之 baiser 已遠去了，

在山之崖，海之湄，花枝的暗

影裏，無裝作天外的仙女，

我正要於鳥聲蟲語的三月裏，

用幾人的資格，

享點神經舒暢之悠悠。

為幸福而歌

調寄海西頭

俊俏的詩句撞闖着我欲破的心房,

他羨慕和風的

五月天,

蠻野的歌聲

哄嚷在長林裏,哄嚷在海浪歸來處;

這春色呼喚出來的遠海,

親密了葡萄之新蕊,

麥苗之秀,野鳥歌聲之夜以繼日.

枕邊的春

總不能導我如引港之徒,

無味!

日色的金黃,自然的諂笑,

282

調奇海西頭

縱有飾窗日的薔薇,蝸牛頻來問訊,

梨花白蓋了曲徑,

而童年之火旣無推敲地熄了;

笑聲亦不在遠處發回響,

低吟詩句,亦不能與心靈 Correspondant.

我蠻野之年少,在

女人之撫慰裏

肥胖而靜寂了.

我音樂家式之指頭,

欲所按的事物都發生音響,

但因自倨

和羨慕的緣故,

琴兒亦敲不成腔調了.

且看

283

爲幸福而歌

嬌嫋的風，自己從遠方來到，

帶幾片懷莪璘之殘香，

或海的鹹味，

繞着人站立處。

新出世的嫩芽，

向着日光取暖，

但在每個吹拂裏，

搖動如新婦青色之長髮，

小鳥亦無能在枝上久立了。

Nymphes 似沒有死，

Pan 似乎重來這世界，

過去時光上之事蹟亦似有再生之氣。

是否她傳來的新聲，

我所認識的，

何時用氣息暖我兩頰，

284

頤 四 海 奇 調

何時休止暖兩頰之氣息？

在我們的頭上，

時間是不會逃遁的，

但在每秒的一扒

我要向其眼底飲生命之甜滴。

285

歐而福幸為

香 水

她會滙合你皮膚的油脂,

另發生一種香味,

散布在人所擁擠的街上,

羣衆都忽略

惟有我能嗅到,

然而我較愛你肌膚上天然之氣味.

遊蜂誤追了你,

但你又害怕了狂奔,

若她邀你到花間去,

你不能不先有一個回想了.

286

我對你的態度

我愛你的全人格，

如同海燕愛天外的迴翔，

鬢間的花

愛天邊來的微風，

春來的新芽

愛小鳥頻來踐踞，

Sirene 出浴時

愛海浪瀁漾在遠處，

直送舟子前來.

我恨你如同

軛下的駑馬，

無力把韁條撕破，

287

為幸福而歌

如同孩子怨母親的苛刻,

如同 Odysseus 重復回來

目擊焚心的慘狀.

我羨慕你如

滑鐵盧歸來之武士,

(且你所欽佩的,)

著作等身的才子,

如同枝頭齊唱的小鳥

拍拍地同飛去,

尋覓食料或可飲的清泉.

我寬宥你

過於皇上的大赦,

當你嬌嗔過分等等時,

我寬宥你像

288

<u>我對你的態度</u>

重複追問之人
的不明白。

289

為拳禍而歌

自　然

"d'où me vient la terreur d'une

angoisse infinie."

Ch. Grandmougin.

自然之華麗，

吁，你出自什麼王國，

你嫵媚而雄偉之精神，

惟我心能承認及降服而謂：

"微風吹到一陣海的青光，

幾點歸帆的寂寞，

心靈之府毫無羞怯，

我遂矇矓在蟹蛤之叢裏。

———
290

自　　　然

"奔騰的浪餤,

到此既無餘力了,

惟喪氣的浮沫誘惑了

日光暫時閃爍在水中央.

"吁,欲歸還住的羊羣,

我從沒把你描入畫圖,

但願你對每口嚙過花草說:

遠地的詩人有幽怨.

"挽着臂躑躅得遠了,

(怕去洋海還有壹萬里,)

話言的頭亦打斷了,

我們於是在林下翹首而望海潮歸去.

"俄而月兒冉冉的出了妝臺,

291

為幸福而歌

此次既不蒙倦態了，

無言地從草地而枝上，

直膽敢地入我們懷抱裏．

月兒掛在天際，如同

掛在枝上，

像一顆銀色的菓屬，

引得我生命之渴沸騰了．"

雜　感

烏雀兒飛翔在空間，

我心靈飛翔在時間，

每句鐘遠走五百年，

沈思時便看見宇宙之源始。

時間是與我休戚相關的，

我心頭若有遺憾，

則春的珠麗於我是死之種子！

長林之後站有頹牆，

頹牆映出海之深厚，

情愛的焦點就在那蘊釀出來。

呵，火熱之擁抱，

在我記憶裏作祟，

為幸福而歌

（惟松梢與夜鶯能作證，）

而今僅存窗外的荒涼．

我過於工作的眼呵，

何以微有生意，

是否柳枝兒重向藍蔚天嬌笑，

是否矮林上之雪花消散了．

是否時有倦容之月亮，

重與波浪輕褻地調戲了？

否！你瞳裏既不再存一點精光：

一切青春之微笑熄了，

吁，我的蠻野的年少，

在愛人的臂邊肅靜了．

重復回到春園來，

花朶有醉人的滋味了，

294

雜　　　感

粉蝶實惹不上一層愁

留意這情愛之 douleur.

我聽到是什麼聲響,

不識認的麼'

我已覺到你氣息之熱,

從風裏送到我頰上.

你曾試舞了一下

臂兒像蛇兒般揉着,

身軀如同不可自支的軟柳,

無意中發一醉人的笑.

295

歌而福幸為

296

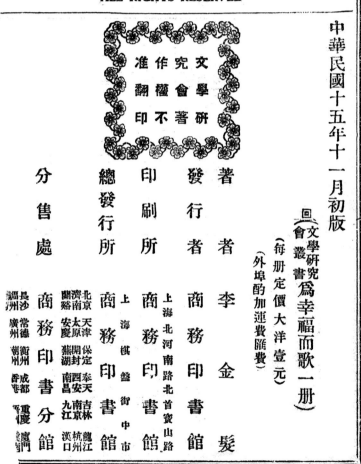

中華民國十五年十一月初版

（文學研究會叢書 為幸福而歌一冊）

（每冊定價大洋壹元）

（外埠酌加運費匯費）

文學研究會著作權不准翻印

著者　李金髮

發行者　商務印書館

總發行所　上海棋盤街中市　商務印書館

印刷所　上海北河南路北首寶山路　商務印書館

分售處　商務印書分館

北京　天津　保定　奉天　吉林　龍江
濟南　太原　開封　西安　南京　杭州
蘭谿　安慶　燕湖　南昌　九江　漢口
長沙　常德　衡州　成都　重慶
福州　廣州　潮州　　　　　雲南
梧州

商務印書館出版

文學研究會叢書

一生 二冊 一元二角

徐蔚南譯 此書為法國自然派大作家莫泊三之傑作述一宮於感情的貴家少女初以她的幸福寄於其夫其夫遭橫死後又屬望於其子而子亦不肖夙願未償已成老婦女之一生消磨於希望與失望之循環中難為一家一人而質暗指人世譯筆極為明暢

盲樂師 一冊 七角

張亞權譯 此書為俄國文學家克羅連科的著名小說是一本精密的心理分析的作品叙述一個生而盲目的人怎樣藉聽覺觸覺等的印象力在心理智識道德和社會各方面發展怎樣顯意領受着趨向着一生無福享受為造化所吝而不與的「光明」描寫盲人的心理非常精徵入理

旅途 一冊 六角

張聞天著 此為張君所著之長篇小說書中主人翁鈞凱為一熱情的青年因祖國而瘦身他又同時遭受許多戀愛的風波文筆爽利動人結構嚴醤

詩學 一冊 六角

傅東華譯 本書為希臘亞里斯多德的名著古典主義的文學批評的聖經在歐洲文壇上影響極大傅君之譯為中文未復附傅君所作之「讀詩學劄扎」詳述詩學的版本時代背景及引例的攷略實為研究文學者不可不讀之書

相鼠有皮 一冊 五角

顧德隆編 是書英國高斯華綏的戲曲傑作地方色彩很淡編者特取而改譯之以便表演於中國舞臺此劇暗諷歐洲大聰貴意深刻諷恊恰當結構上顧多精彩之處

三姊妹 一冊 四角五分

俄國柴霍甫著 曹靖華譯 三姊妹為柴氏的重要劇本之一結局很為悲慘著者意察到人生的深處並且暗示我們在現世是不能卽刻達殺一種愁悶全而且有意味的新生活了只有為將來人們的幸福而工作

元(2241)